L'Éditeur tient à remercier Mme Christine Ockrent et Antenne 2
pour leur aimable autorisation d'utiliser le titre *Carnets de route*.

L'AMAZONIE

LES CARNETS DE ROUTE DE TINTIN

une collection conçue et animée par Martine Noblet

Les films du sable remercient de leur participation à cet ouvrage
les photographes de **Connaissance du monde** suivants :

Jacques Cornet, Gérard Civet, Luc Giard,
Anne-Sophie Tiberghien, Claude Jannel et Michel Aubert.

Les auteurs remercient de leur collaboration C. Erard et D. De Bruycker

L'AMAZONIE

Texte : Martine Noblet et Chantal Deltenre

casterman

ISBN 2-203-05210-4
© Hergé/Moulinsart 1994
© Casterman/1994 pour la présente édition

En relisant les exploits de Tintin, je suis surpris de constater qu'en compagnie de mes parents et de mes huit frères et sœurs, nous nous sommes bien souvent croisés, précédés ou suivis. Les Mahuzier en Afrique, en Australie, en Amérique du Nord, en Russie, au Népal, au Ladakh, au Zanskar, au Tibet... ou encore en Sibérie, en Asie centrale, au Japon, etc. soit 22 grandes aventures, j'allais dire 22 albums de Tintin.

Le vingt-troisième aurait pu nous permettre de vivre ensemble l'un des plus beaux reportages réalisés par la famille Tour du Monde : les Mahuzier sur le fleuve Amazone, six longs séjours à la recherche d'un seul trésor que Tintin et les Mahuzier ont toujours eu envie de découvrir : la connaissance du monde, la connaissance des autres, l'amitié entre les peuples.

Tintin, membre d'honneur de la Tribu Mahuzier, nous en serions fiers, puisque nous poursuivons la même route. Tintin, Prix Nobel de la Paix, pourquoi pas ?

YVES MAHUZIER

La petite Samantha a souvent emboîté le pas à Anne-Sophie comme Milou suit les traces de Tintin : à la recherche d'aventures, à la découverte de peuplades. Aujourd'hui j'envie la capacité du héros aux culottes bouffantes à résoudre les problèmes rencontrés.

Tintin se doutait-il que la dernière tribu d'Amazonie se ferait un jour sauvagement massacrer par ceux de notre race ? Constat odieux. Les "civilisés" ont fait de ces "sauvages" des ivrognes, disait le capitaine Haddock. Mais les "civilisés" ont faire pire que ça : à l'heure où vous lisez ces lignes, les Yanomamis n'existent presque plus : éventrés, violés, territoire saccagé... Les chercheurs d'or et de diamants, les propriétaires terriens, tous sans foi ni loi, continuent de défricher la forêt amazonienne, de polluer les rivières, et de liquider sans aucun scrupule les Indiens qui les gênent !

Honte à notre race, qui ne sait respecter ni l'âme, ni la vie des peuples autochtones. Ce sont eux, pourtant, les sauvages qui m'ont appris le sens du mot *civilisé*.

Dernières tribus de la terre, proches de Dieu et de la Nature, les Indiens ont résisté jusqu'au XXᵉ siècle. Mais notre civilisation avance tel un bulldozer. Ma révolte se sent désespérément impuissante. A l'aide Tournesol, les Dupondt et les autres ! Que j'aimerais être Tintin...

ANNE-SOPHIE TIBERGHIEN

SOMMAIRE

les mots en caractères **gras** dans le texte renvoient au glossaire page 70

1 D'OÙ VIENT LE NOM DE L'AMAZONE ?

C'est par méprise qu'un explorateur, perdu sur ce fleuve géant, le fit connaître en Europe comme étant celui "des Amazones". Il croyait y avoir combattu des femmes guerrières…

Attaqué par les guerriers Yaguas aux longs cheveux, **Orellana**, lieutenant du conquistador Pizarro, les prit pour des femmes, cousines des légendaires Amazones de l'Antiquité. Pourtant, le nom local du fleuve paraissait tellement mieux adapté à ses énormes proportions : o rio-mar, le fleuve-mer…

Avec ses 6 500 km de long et son millier d'affluents — dont certains dépassent le Rhin —, l'**Amazone** est bien le plus puissant de tous les fleuves du monde. Par son embouchure de 350 km de large, ce sont 300 milliards de litres d'eau douce (soit cinquante fois le débit du Nil) qui se déversent chaque heure dans l'océan Atlantique, repoussant les eaux salées jusqu'à 100 km au large !

Son bassin détient lui aussi tous les records. Des Andes à l'Atlantique, trois fois plus étendu que le territoire de la Communauté européenne, l'Amazonie est une vaste cuvette au fond presque plat où le fleuve et ses affluents serpentent en méandres sans fin, s'étalant d'habitude sur plusieurs kilomètres de large. Mais en période de crue, c'est souvent sur quarante kilomètres de part et d'autre que les eaux submergent la forêt, emportant à la dérive des morceaux de berges, qui deviennent autant d'îles flottantes. L'Amazone laisse alors derrière lui des zones marécageuses grandes parfois comme la France.

QU'EST-CE QUE L'IGAPO ?

Forêt touffue et marécageuse de l'Amazonie, l'igapo est le royaume des tortues, des crocodiles, des poissons, des crabes et des loutres.

LA **selva** amazonienne, comme on la nomme en portugais, est une forêt humide arrosée en permanence par les pluies équatoriales et souvent baignée par les rivières en crue. Son sol est donc marécageux. Si les grands arbres y prospèrent, la tête au soleil et les pieds dans l'eau, les animaux, eux, doivent choisir : il leur faut être bons nageurs ou passer leur vie dans la cime des arbres.

La forêt abrite ainsi deux étages nettement différenciés. En haut, perché à quarante mètres, un monde ensoleillé et luxuriant, dont les fleurs odorantes et les baies charnues nourrissent tout un peuple d'oiseaux, de singes-acrobates et de papillons. En bas, le sol lui-même, spongieux ou recouvert d'eau, est plongé dans un perpétuel crépuscule, car le feuillage dense ne laisse filtrer qu'un pour cent à peine de la lumière du jour! Les débris tombés des arbres y pourrissent parmi les racines, les mousses et les fougères ou sont dévorés par des crustacés, des poissons, des reptiles, des batraciens et mammifères de tout poil...

Dans ce monde **amphibie**, on rencontre de tout : certains poissons évoluant dans l'eau boueuse préfèrent respirer à la surface grâce à des poumons (voire grimper aux arbres, comme une espèce de poisson-chat); des grenouilles, quant à elles, choisissent d'aller vivre en hauteur...

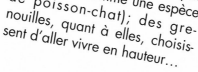

QU'EST-CE QUE "L'ENFER VERT" ?

Empêtrés dans la végétation,
accablés de chaleur humide et d'insectes,
minés par les fièvres, les rares Européens
qui se risquaient en Amazonie y trouvèrent
souvent la mort…

CETTE selva ne ressemble à aucune autre. Jamais défrichée par l'homme, c'est une forêt vierge, dite "primaire" : aucune essence végétale n'y domine mais toutes y poussent au coude à coude, voire même les unes sur les autres, comme les lianes et les orchidées. Se pressant pour capter le moindre rai de lumière, les grands arbres rivalisent de hauteur : jusqu'à quarante mètres en zone humide, et le double, là où le sol est plus ferme.

C'est un monde de titans, avec des arbres inconnus ailleurs, tels le pau brazil — dont le bois rouge comme la braise a donné son nom au Brésil —, l'acajou, le palissandre et le fameux hévéa, que les Indiens nomment cahuchu. Sa sève nous fournit le **caoutchouc**. Près de 100 000 autres espèces font la richesse de ce paradis botanique, du strychnos (dont la résine toxique donne le curare) au nénuphar Victoria, avec ses gigantesques feuilles en forme de vasque.

Aujourd'hui encore, la science découvre au plus profond de la forêt brésilienne des plantes inconnues, dont seront tirés certains médicaments de demain. Les animaux, eux aussi, profitent de cette diversité botanique. Certains, disparus partout ailleurs sur la terre comme le **tapir**, ont trouvé en Amazonie une "niche écologique" à leur goût.

PEUT-ON NAGER
DANS L'AMAZONE ?

4

Malgré la terrible réputation de certains poissons, se baigner dans l'Amazone n'équivaut pas à un suicide : les piranhas ne dévorent pas tout ce qui bouge !

LES piranhas, ces terreurs de l'Amazone, sont surtout des charognards de rivière, qu'ils débarrassent des animaux noyés lors des crues et des bêtes malades ou blessées. Celles-ci seront dépecées en quelques minutes par les fortes mâchoires et les dents aiguës de ces petits poissons carnassiers qui, attirés par le sang, se joignent en nombre au festin. Pourtant, si les piranhas étaient aussi voraces qu'on le prétend, il n'y aurait plus qu'eux dans l'Amazone ! Or, celui-ci abrite encore des milliers d'espèces aquatiques, dont quelques hôtes tout aussi inquiétants...

Beaucoup sont des géants, du gymnote, qui ressemble à une grosse anguille (et dont les décharges électriques peuvent étourdir un bœuf), au fameux anaconda, un python d'eau pouvant atteindre dix mètres, sans oublier la tortue matamata ainsi que le pirarucu, ce très grand brochet dont les 135 kg de chair nourrissent de nombreux riverains du fleuve. Mais aussi les **caïmans** qui infestent certaines rivières, ou les **sangsues** plus discrètes, dont il n'est pas facile de se débarrasser.

Tout aussi surprenants sont le dauphin rose, la loutre géante et le placide lamantin, qui broute des algues le long des berges.

QUEL ANIMAL A LA LANGUE LA PLUS LONGUE ?

5

Le tamanoir, ou grand fourmilier amazonien, a une langue aussi longue que fine : soixante centimètres pour aller chercher fourmis et termites au fond de leurs abris.

Le roi de la forêt humide, c'est le jaguar, un félin proche de la panthère. Il guette les proies que sont pour lui le grand tapir, le pécari (une sorte de cochon sauvage), le cerf des marais et cet énorme rat sans queue, le cabiai, qui peut atteindre un mètre trente de long.

Mais le jaguar n'est pas sans concurrence. La forêt abrite aussi de gracieux petits prédateurs, comme l'ocelot, la martre, le renard (dont une espèce est spécialisée dans la pêche au crabe...) et divers cousins du raton laveur, parmi lesquels l'astucieux coati. Tous ces petits carnivores se nourrissent aussi bien de fruits que d'oiseaux, de grenouilles, de poissons et même d'insectes qu'ils disputent alors à ces véritables spécialistes que sont le fourmilier et le tatou à la lourde carapace articulée.

Enfin, citons le paresseux. Ce placide brouteur de feuilles ne se rencontre au sol que lorsqu'il lui faut absolument changer de garde-manger. Expert à se cacher dans les arbres, sa lenteur ainsi que les algues verdâtres qui lui poussent sur le dos le font aisément passer pour un paquet de mousses suspendu aux branches...

LA FORÊT VIERGE EST-ELLE SILENCIEUSE ?

*Au niveau du sol, la sombre forêt
est un monde de silence comparativement
au sommet des arbres où résonne
le vacarme des perroquets, des toucans
et des singes hurleurs.*

L E monde de la cime des arbres, vivement coloré sous le soleil aveuglant, s'appelle la canopée. La plupart de ses habitants ne voient jamais le sol.

Serpents, félins, chauves-souris carnivores, araignées, aigles harpies et autres prédateurs s'y camouflent de leur mieux, guettant leurs proies parmi le feuillage. Ceux à qui la nature n'a pas donné d'ailes comme les singes, certaines espèces d'écureuils ou même de grenouilles s'échappent grâce à des talents d'acrobates, ou de planeurs. D'autres en revanche se soucient peu de se cacher, se fiant au signal d'alarme de leurs congénères postés en sentinelles. Ainsi font les singes hurleurs...

Ceux qui ont des ailes n'hésitent pas à se parer de toutes les couleurs de l'arc-en-ciel, comme les étincelants colibris et les **toucans** à l'énorme bec bigarré. Mais les vedettes restent bien évidemment les perroquets, dont les diverses espèces, des grands aras bleus et jaunes aux délicates perruches, ajoutent à ce spectacle bariolé les notes stridentes d'une perpétuelle cacophonie.

D'OÙ PROVIENT LE CAOUTCHOUC ?

*Les produits végétaux ont toujours été
la première richesse de l'Amazonie :
l' exploitation du bois coloré du "pau brazil",
puis surtout le caoutchouc, tiré de la sève
de l'hévéa.*

LES botanistes connaissaient depuis longtemps les propriétés du latex mais ne lui trouvaient pas d'autres usages que ceux déjà imaginés par les Indiens : imperméabiliser chaussures et vêtements ou confectionner des balles à jouer. C'est le **pneumatique**, indispensable accessoire des automobiles et inventé en 1888, qui fit la fortune de l'Amazonie et, plus encore, celle des villes d'Iquitos au Pérou ou de Manaus au Brésil.

Ici, à des milliers de kilomètres de toute civilisation urbaine, au cœur de la forêt vierge parcourue en tous sens par des récolteurs nommés seringueiros, le célèbre **Fitzcarraldo** et les autres "barons" du caoutchouc menèrent pour un temps une vie d'une folle opulence, important d'Europe à prix d'or les toilettes de leurs femmes, le marbre de leurs résidences et même les chanteurs se produisant à l'opéra de Manaus, amenés jusque-là par des cargos de haute mer. Ceux-ci redescendaient ensuite le fleuve, chargés du précieux latex.

Dès 1920, hélas, un agent anglais réussit à subtiliser quelques graines d'hévéa, qu'il replanta avec succès en Malaisie... Ensuite, l'apparition du caoutchouc synthétique, tiré du pétrole, calma la fièvre de "l'or mou" et le faste de ses magnats. Un jour, peut-être, les ressources encore mal connues de la flore de l'Amazonie, riche en plantes médicinales, vaudront à cette région un nouvel âge d'or.

POURQUOI L'AMAZONIE EST-ELLE LE "POUMON DE LA TERRE" ?

La forêt équatoriale joue un rôle essentiel dans le renouvellement de l'oxygène de notre planète. Et près du tiers de cette forêt, au niveau mondial, se trouve en Amazonie…

La forêt amazonienne est un puissant régénérateur de l'atmosphère terrestre. Aussi est-il capital de préserver cette immense "zone verte". Et pourtant, chaque jour au Brésil, la forêt perd plus de cinquante kilomètres carrés. La cause en est la **déforestation**. Que ce soit pour l'exploitation minière, le percement de routes transamazoniennes, ou la construction de gigantesques barrages. En cause aussi le défrichement d'innombrables lopins de terre sur lesquels s'installent des paysans qui fuient des régions trop peuplées.

Or la forêt tropicale, luxuriante et riche en apparence, ne pousse en réalité que sur un sol pauvre et fragile. La mince couche de terre fertile, exposée à l'air libre, est rapidement emportée par les pluies ou balayée par le vent. Les zones ainsi déboisées se transforment alors en déserts, au désespoir des colons qui avaient cru en tirer leur subsistance. Ruinés, il ne reste plus à ceux-ci que la triste perspective de rejoindre les bidonvilles qui ceinturent les grandes villes, en quête d'une situation moins dramatique.

Derrière eux, la forêt ne repoussera plus jamais… Pas plus que n'y reviendront les Indiens, seuls capables de vivre en harmonie avec elle.

QUI SONT LES INDIENS D'AMAZONIE ?

Venus par le détroit de Behring couvert de glaces, les premiers Indiens passèrent ensuite d'Amérique du Nord à celle du Sud.
Certains d'entre eux s'installèrent il y a 10 000 ans environ en Amazonie.

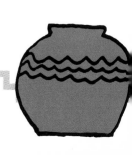

GUARANIS, Tupis, **Yanomamis**... les Indiens de la forêt forment plusieurs peuples et de nombreuses tribus. Si toutes partagent un mode de vie adapté au cadre naturel, chacune a sa langue, sa religion, ses traditions et son système social.

Les Indiens vivent en groupes disséminés sur d'immenses étendues et, à de rares exceptions près, en communautés ne dépassant pas deux cents individus. Les Indiens vivent en parfaite harmonie avec la forêt, univers protecteur et magique où tout relève du surnaturel. Approcher "l'au-delà des choses", rester en contact permanent avec les esprits supérieurs, est donc une nécessité vitale. Une telle rencontre s'opère sous la conduite du chamane, grâce à l'usage de drogues.

Mais la folie des hommes "civilisés" fait désormais partir en fumée, chaque année, des millions d'hectares de forêt amazonienne qui représentent le plus merveilleux des refuges pour les Indiens.

QUI A INVENTÉ LA SARBACANE ?

Les Indiens ont créé cette arme précise et silencieuse faite d'un long tuyau creux d'où le souffle propulse une fléchette à la pointe parfois enduite d'un poison foudroyant : le curare...

LES Indiens ne chassent pas tous à la sarbacane : ils utilisent, selon les gibiers, la sagaie, l'arc ou les pièges, tandis que certaines tribus préfèrent la pêche à l'arc, au harpon ou au filet. Si les Indiens apprécient aussi les produits de la cueillette, ce n'est pour eux qu'un appoint à côté du **manioc** qu'ils cultivent dans des clairières. Celles-ci, défrichées en brûlant la végétation d'origine, retourneront à la forêt dès que la terre commencera à s'épuiser.

Sous ce climat étouffant, où l'on ne peut travailler que tôt le matin et tard le soir, la vie des Indiens fait aussi une large part aux loisirs et aux cérémonies, ainsi qu'à leur préparation : confection de parures et réalisation de maquillages d'abord, puis danses, chants et jeux. La magie et les rêves faits sous l'effet du tabac ou des drogues traditionnelles entretiendront un rapport permanent avec les rites et les fêtes. Toutes ces activités perpétuent pour les Indiens la mémoire et les traditions de leur tribu. Elles célèbrent l'étroite alliance entre les hommes, la nature environnante et la présence magique des esprits.

LES JIVAROS RÉDUISENT-ILS ENCORE LES TÊTES ?

*Missionnaires et administrations ont interdit
à ce peuple d'Indiens vivant aux confins
de l'Amazonie de se livrer à son rite essentiel…
Mais qu'en est-il loin du monde,
au fond de la forêt amazonienne ?*

Ès la découverte du Nouveau Monde, les missionnaires (surtout les **jésuites**) ont cherché, souvent au péril de leur vie, à convertir et à "rééduquer" les Indiens. En concentrant ces nomades dans des villages bâtis autour des missions, en leur imposant des vêtements européens, en interdisant la polygamie et bien d'autres coutumes jusqu'à leur langue, que l'on s'efforcera de simplifier, ils voulaient apporter à ces peuples dits sauvages le salut de l'âme et une vie plus "humaine".

Les missionnaires allaient surtout priver ces populations de toutes leurs raisons de vivre : plus encore que les maladies importées d'Europe, les fusils des colons ou le travail dans les plantations, c'est le désespoir qui a miné et décimé les Indiens. Ils étaient, au XVIᵉ siècle, trois millions au Brésil. Il en reste à peine 150 000 aujourd'hui, que la FUNAI (Fondation nationale de l'Indien) tente de protéger contre la pression des chercheurs d'or et des grandes sociétés d'abattage du bois. La campagne de presse menée récemment par le chanteur Sting et le **cacique** Raoni, a certes attiré l'attention sur le génocide des Yanomamis. Mais pour bien d'autres tribus, il est déjà trop tard…

QUELLES SONT LES GRANDES CIVILISATIONS INDIENNES ?

Des Andes au Mexique, bien des peuples indiens ont laissé d'impressionnants vestiges qui témoignent d'un haut niveau de culture.

OMME les Incas du Pérou, les peuples du Mexique ont été d'ambitieux bâtisseurs. Les célèbres **Aztèques** avaient hérité de toute une lignée de cultures raffinées : les **Toltèques**, les **Olmèques** et les savants **Mayas**. Leurs pyramides, abandonnées depuis plus de mille ans, ont été récemment retrouvées sous les arbres et les lianes de la forêt du Yucatán. Qui sait si d'autres monuments dorment encore sous les épaisses frondaisons de la forêt vierge, jusqu'au cœur même de l'Amazonie ?

Bien d'autres peuples, cependant, ont vécu sans bâtir de palais de pierre. Pour ceux-là, c'est la richesse de leur artisanat en poteries, vanneries, tissages, la subtilité de leur langue, le charme de leurs légendes ou la complexité de leur religion qui témoignent de la splendeur passée.

Fait admirable, plus d'un peuple a trouvé en lui-même la force de maintenir jusqu'à nos jours une partie de cet héritage, malgré un esclavage qui imposait l'abandon des anciennes coutumes, l'apprentissage obligatoire de l'espagnol ou du portugais et l'adoption forcée du culte chrétien. Les arts traditionnels et les langues locales ont ainsi persisté dans le secret des familles et des villages.

LA FORÊT AMAZONIENNE RECOUVRE-T-ELLE TOUT LE BRÉSIL ?

13

Si la forêt amazonienne est immense, le Brésil, grand comme seize fois la France, l'est plus encore. On y rencontre aussi des contrées fertiles, des plateaux couverts de prairies, ou des zones désertiques.

Au nord-est du Brésil, passé la zone côtière humide et fertile (la mata), où se cultivent la canne à sucre et le cacao, se profile le sertão, une brousse sèche d'herbe rase et d'arbustes, ou la caatinga, la "forêt blanche", avec ses bosquets d'épineux impénétrables et ses cactus géants hauts de dix mètres. Sur cette terre ingrate, la sécheresse entraîne d'effroyables famines parmi les paysans. Malgré les célèbres cangaceiros, mi-bandits, mi-défenseurs des affamés, avec leurs cartouchières à la **Pancho Villa**, les habitants du Nordeste ont souvent dû fuir vers la forêt amazonienne ou les villes du sud pour trouver de quoi subsister moins misérablement.

Plus au nord, vers le Venezuela, se trouvent les llanos, la grande prairie de la plaine de l'Orénoque qui abrite de vastes troupeaux de bœufs, tout comme au sud, les plateaux du Mato Grosso et les monotones campos marécageux du Gran Chaco, entre la Bolivie et le Paraguay.
Enfin viennent l'interminable pampa argentine et le monde des gauchos, ces cow-boys de l'Amérique latine qui conduisent le bétail à travers d'immenses étendues, entre deux haciendas. Mais là, ce n'est déjà plus le Brésil…

QU'EST-CE QUE LA CULTURE SUR BRÛLIS ?

La culture sur brûlis consiste à dégager une portion de forêt en y brûlant la végétation. La cendre enrichira pour quelques années la terre ingrate. Il ne reste plus qu'à semer…

C^E type de culture a longtemps fait la subsistance des Indiens nomades, habitués à déménager dès que le sol commençait à s'épuiser pour aller défricher plus loin une nouvelle clairière.

Mais il a aussi fait la ruine des colons qui leur ont succédé, les caboclos du Brésil, paysans pauvres fuyant les régions surpeuplées du Nordeste. Obligés de rester sur le lopin de terre alloué une fois pour toutes par le gouvernement, ils ont vu leur nouveau bien devenir stérile... Beaucoup se sont alors tournés vers d'autres métiers, pénibles, peu rentables et souvent hasardeux : ils sont devenus récolteurs de latex, bûcherons ou chercheurs d'or et de pierres précieuses repoussant toujours les Indiens plus loin dans la forêt. La plupart, cependant, finissent par se décourager et rejoignent en dernier recours les banlieues industrielles où, bien souvent, ils retrouvent le même lot d'insécurité et de misère.

En d'autres régions, la vie rurale n'est pas plus facile, sauf pour l'heureux propriétaire d'une vaste plantation ou d'une **fazenda**. Le sort des vaqueiros (gardiens de bœufs), comme celui des ouvriers agricoles qui récoltent la canne à sucre, le café ou les bananes, est alors soumis au bon vouloir de cet employeur, toutpuissant sur des terres souvent consacrées à un seul type de culture.

TROUVE-T-ON DE L'OR AU BRÉSIL ?

L'État brésilien exploite de riches mines d'or, côte à côte avec 875 000 "garimpeiros", des chercheurs d'or indépendants qui creusent le sol dans des conditions souvent atroces...

APRÈS la conquête du Nouveau Monde, tandis que les Espagnols rêvaient de l'Eldorado, les Portugais, tout occupés par le commerce des épices de l'Insulinde, des bois exotiques et de l'ivoire d'Afrique, ne s'intéressèrent aux nouveaux rivages brésiliens que pour y créer de gigantesques plantations de canne à sucre. Le résultat, du point de vue des populations indigènes, était à peine préférable : déjà familiers de l'esclavage en Afrique, les Portugais envoyèrent des **bandeirantes** capturer les Indiens à l'intérieur des terres, afin de pourvoir les plantations en main-d'œuvre.

C'est pendant l'une de ces chasses à l'homme que les colons découvrirent les riches gisements d'or, d'argent et de diamant de la région du **Minas Gerais**. La ruée vers l'or fut immédiate et dura plus d'un siècle. De cette époque, la ville d'Ouro Prêto garde le témoignage de ses somptueuses églises baroques et de ses résidences de rêve, bâties par les prospecteurs les plus chanceux. Aujourd'hui, le Brésil est le sixième pays producteur d'or au monde. Une véritable ceinture de ce précieux minerai s'étendrait de l'Etat de Randônia, au sud-ouest de l'Amazonie, jusqu'à la côte atlantique! Ainsi, l'exploitation continue, mais souvent aux dépens des Indiens maintenus à l'écart des richesses de leur pays.

POURQUOI L'AMÉRIQUE DU SUD EST-ELLE DITE LATINE ?

Colonisée par les Espagnols
et les Portugais, toute la moitié sud
du Nouveau Monde adopta la langue
des conquérants. Ceux-ci, venus d'au-delà
des mers, étaient de culture latine.

À PARTIR des bases installées par Christophe Colomb aux Antilles, les conquistadors espagnols, poussés par la soif de l'or, firent la conquête du Mexique. Puis, en suivant la côte de l'océan Pacifique, ils bifurquèrent au sud à la conquête de l'Empire inca et, au nord, vers la Californie. Les Portugais, grands découvreurs eux aussi, abordèrent la côte atlantique du continent, aisément accessible depuis leurs colonies d'Afrique et des Açores.

Ainsi colonisée par l'ouest et l'est à la fois, l'Amérique du Sud fut bientôt partagée entre les Portugais qui s'installèrent dans ce qui deviendra le Brésil, et les Espagnols qui occupèrent le reste du continent. Ils y imposèrent chacun leur langue.

Après l'indépendance des différents pays qui constituent aujourd'hui l'Amérique latine, des émigrants de toutes origines sont venus y chercher refuge ou fortune, s'ajoutant aux esclaves noirs déjà sur place depuis longtemps. Italiens, Allemands et même Japonais forment d'importantes communautés dans divers pays. Mais, selon les pays, la langue officielle est restée partout celle des premiers conquérants.

L'explorateur espagnol Orellana, qui découvrit l'Amazonie.

L'AMÉRIQUE DU SUD EST-ELLE TOUJOURS EN RÉVOLUTION ?

17

Si certains pays connaissent désormais un régime démocratique stable, les coups d'État militaires et les guérillas n'ont pas disparu.

BEAUCOUP de pays latino-américains doivent leur naissance à une révolution. La plupart ont eu, et certains ont encore, une histoire politique fort troublée, due en partie à l'énorme contraste entre les élites riches et puissantes, souvent issues des premiers colons, et le reste de la population : Indiens, fils d'esclaves, métis et immigrants… Cette tension sociale fut tellement vive que, régulièrement, les défavorisés se révoltaient. Les privilégiés recouraient alors à la force pour préserver leur situation.

Sont ainsi arrivés au pouvoir des dictateurs qui, n'ayant pas besoin d'électeurs, pouvaient adopter des mesures extrêmes, ou des **juntes** d'officiers qui dirigeaient leur pays comme une caserne. Même les réformateurs animés d'un idéal de progrès, comme Juan **Perón** en Argentine, sont parfois devenus des despotes, afin de poursuivre leurs réformes sans entraves. Ils ont fini par plonger leur pays dans la guerre civile.

Enfin, l'appât du gain et la crainte du changement ont aussi amené certains privilégiés à se mettre aux ordres d'un pays plus puissant. Les Etats-Unis ont ainsi dirigé pendant longtemps des "républiques bananières", dont ils exploitaient les ressources naturelles avec la complicité de notables locaux plus avides de bénéfices que soucieux du bien-être de leur pays.

QUELLE RELIGION PRATIQUENT LES LATINO-AMÉRICAINS ?

A part quelques villages indiens coupés du monde, la foi chrétienne est celle du continent tout entier. Mais elle y est pratiquée de mille et une façons…

LES Amérindiens ont été convertis de force ou par la persuasion des prêtres jésuites, dont les missions étaient souvent l'unique refuge contre les chasseurs d'esclaves. Mais ils ont imaginé d'innombrables façons de conserver leurs anciens rites religieux et leurs dieux, en les faisant coïncider avec les fêtes et les saints chrétiens. Ainsi la fête des morts est-elle devenue, au Mexique, un brillant carnaval, où l'on distribue des sucreries en forme de crânes... tout comme à l'époque des divinités aztèques!

Les esclaves noirs, intensément religieux eux aussi, ont cherché à marier leurs cultes ancestraux avec ceux des Européens. Les uns, comme les **"Hougan"** du rite vaudou, en Haïti, ou les adeptes du **candomblé** au Brésil, utilisent le crucifix et d'autres éléments chrétiens lors des sacrifices, transes et rituels magiques d'origine africaine. D'autres, avec les chants, danses et ornements de leur culture d'origine, transforment la messe catholique en un spectacle plein de rythme et de couleur.

Enfin, sur ce continent où Dieu est le bienvenu quel que soit son nom, l'immigration européenne a fait surgir çà et là des temples protestants, **baptistes** ou **mormons**.

LE RACISME EXISTE-T-IL AU BRÉSIL ?

Mélancolique comme un Portugais, bon vivant comme un Africain, coquet comme un Indien : le caractère du Brésilien est, dit-on, un harmonieux mélange de ses origines diverses.

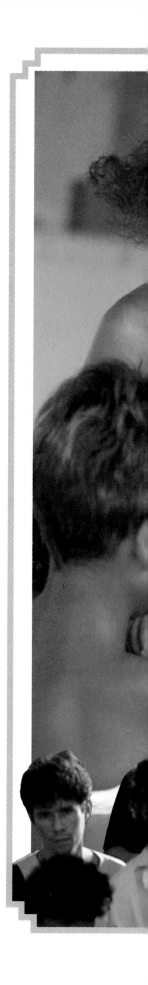

Le brassage des races les plus diverses — ou métissage — est ancien au Brésil. Les premiers colons portugais avaient souvent pris pour compagnes des femmes noires ou indigènes. Les enfants de ces unions mixtes, devenus serviteurs, employés ou petits fermiers indépendants, ont pris place entre une minorité de riches propriétaires blancs et la masse des esclaves noirs, les deux tiers de la population vers 1880. La fin de l'esclavage, en 1888 seulement, et l'arrivée de millions d'immigrants européens ou japonais, bien moins fortunés que les descendants des premiers colons, n'ont modifié qu'en partie les différences de rang entre ces trois éléments traditionnels de la société brésilienne.

Même si quelques fils d'esclaves ont réussi dans le spectacle et le football ou si, inversement, certains petits paysans blancs du Nordeste se sont retrouvés, misérables, dans les **favelas**, ces inégalités de conditions sociales se perpétuent de génération en génération, faute d'un réel effort des pouvoirs publics pour les corriger.

Ainsi, bien qu'une grande tolérance règne entre les races elles-mêmes, le fossé de l'argent continue à séparer les plus riches, blancs pour la plupart, des pauvres, parmi lesquels se retrouve l'immense majorité des Noirs, des mulâtres et des Indiens.

QUELLE EST LA PLUS BELLE VILLE DU BRÉSIL ?

Célèbre pour sa baie, son rocher du Pain de Sucre, ses plages aux noms enchanteurs comme Copacabana, Rio de Janeiro est la "cidade maravilhosa", la cité merveilleuse.

ENTRE pitons montagneux et bord de mer, Rio de Janeiro est sertie dans le plus beau décor que se soit jamais offert une ville. Son nom signifie en portugais "rivière de janvier", en souvenir de la découverte de ce site paradisiaque au cours du mois de janvier de l'an 1502, par les marins de Manuel Ier, roi du Portugal.

Capitale du Brésil jusqu'en 1960, Rio et ses environs forment une métropole de onze millions d'habitants, qui a longtemps vécu sur le mythe de la vie facile. L'ambiance survoltée de cette cité attire depuis toujours des personnages aussi flamboyants que les fêtes nocturnes auxquelles ils prennent part. Les habitants de Rio, les Cariocas, affichent un mélange détonnant où se côtoient la plus grande richesse et l'extrême pauvreté, la violence et la décontraction, l'exubérance et le drame humain, la règle d'or étant : "Ne fais jamais aujourd'hui ce que tu peux remettre à demain…"

Attirés par cette **mégapole**, des milliers de Brésiliens issus des campagnes viennent s'entasser dans les bidonvilles — les favelas — qui la ceinturent, en quête d'un avenir meilleur. Sous le regard immuable du Christ du Corcovado, se joue la cruelle survie d'innombrables enfants qui, au jour le jour, bravant les **"escadrons de la mort"**, cherchent de quoi se nourrir et se loger.

OÙ SE DÉROULE LE PLUS GRAND DES CARNAVALS ?

Si les carnavals d'Amérique latine et ceux des Caraïbes rivalisent en faste, il en reste un qui les surpasse tous : celui de Rio.

Au Brésil, le carnaval se fête en différents endroits, comme à Salvador de Bahia, berceau de la **samba**, ainsi qu'à Recife dans le Nordeste, où il est resté traditionnel. Mais le plus connu est incontestablement celui de Rio. Tous les ans, la semaine précédant le Carême, la ville entre en transe. Des mois auparavant, les Cariocas s'y sont préparés et ont amassé l'argent nécessaire à la confection des plus beaux costumes, qu'ils vont exhiber sur les plus beaux chars. Des mois auparavant, les écoles de samba ont rivalisé d'imagination et de créativité musicale pour briller au firmament de la fête pendant ces quelques jours de délire et de rêve. Mais la mélancolie des lendemains de carnaval est aussi intensément vécue que la joie de vivre qui l'a précédée.

Cette fête est une manière toute brésilienne de noyer en musique la trépidante quotidienneté d'une vie faite, pour la plupart des gens, de violence et de précarité. Est-ce pour narguer cette dure réalité que les Cariocas sont aussi souriants qu'insouciants ? Pour survivre dans cet univers beau et sauvage à la fois, les Brésiliens de Rio pensent que rien dans l'existence n'est sérieux et que seuls comptent les bons moments de la vie, qu'il faut prendre comme ils viennent, au jour le jour...

Y A-T-IL UNE VILLE DU FUTUR AU BRÉSIL ?

Lorsque le président Kubitschek fut élu en 1955, il se jura de doter son pays d'une capitale futuriste, bâtie au cœur d'immenses terres vierges : Brasília.

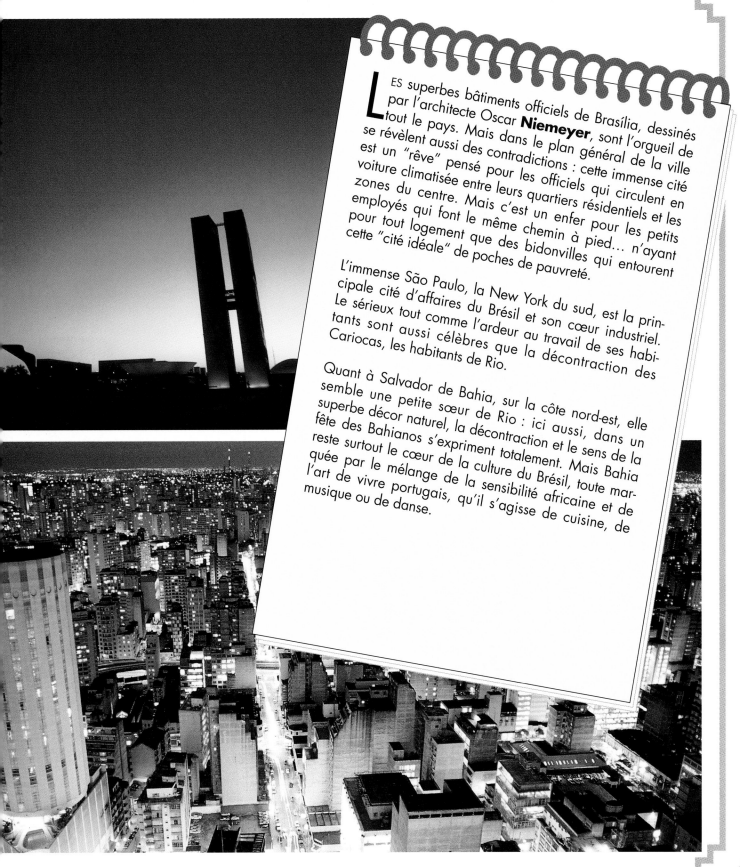

LES superbes bâtiments officiels de Brasília, dessinés par l'architecte Oscar **Niemeyer**, sont l'orgueil de tout le pays. Mais dans le plan général de la ville se révèlent aussi des contradictions : cette immense cité est un "rêve" pensé pour les officiels qui circulent en voiture climatisée entre leurs quartiers résidentiels et les zones du centre. Mais c'est un enfer pour les petits employés qui font le même chemin à pied... n'ayant pour tout logement que des bidonvilles qui entourent cette "cité idéale" de poches de pauvreté.

L'immense São Paulo, la New York du sud, est la principale cité d'affaires du Brésil et son cœur industriel. Le sérieux tout comme l'ardeur au travail de ses habitants sont aussi célèbres que la décontraction des Cariocas, les habitants de Rio.

Quant à Salvador de Bahia, sur la côte nord-est, elle semble une petite sœur de Rio : ici aussi, dans un superbe décor naturel, la décontraction et le sens de la fête des Bahianos s'expriment totalement. Mais Bahia reste surtout le cœur de la culture du Brésil, toute marquée par le mélange de la sensibilité africaine et de l'art de vivre portugais, qu'il s'agisse de cuisine, de musique ou de danse.

QUEL EST LE SPORT PRÉFÉRÉ DES BRÉSILIENS ?

Le football est une passion typiquement brésilienne. Elle a donné à ce sport certains des meilleurs joueurs du monde.

LES Brésiliens vivent le football avec la même démesure qui caractérise, en général, tout ce qu'ils font. Le culte que les Cariocas portent aux dieux du ballon est à l'image du stade où ceux-ci s'exhibent. Sur le terrain du Maracana, à Rio, autour duquel s'entassent plus de 200 000 personnes, le célèbre roi **Pelé** a magnifié un sport devenu, par la magie du jeu et de l'ambiance des gradins, un spectacle étonnant.

Orchestres et sambas rythment la course effrénée du ballon, suivie par un public haut en couleur qui agite d'une main drapeaux et cerfs-volants et se colle, de l'autre, le transistor sur l'oreille. Tambours, pétards, cris et quolibets cadencent la partie de futebol. Mais bien au-delà du plus grand stade du monde, c'est une ville entière qui est en ébullition, suivant avec frénésie les évolutions de ses joueurs.

Une fois de plus, Rio ne s'endormira qu'après une folle nuit de palabres autour d'une feijoada, le plat national, soupe épaisse à base de haricots noirs garnie de morceaux de bœuf ou de porc. Les Cariocas s'en nourrissent avec la même passion que celle qui anime les propos drôles et ironiques de leurs veillées.

OÙ SE TROUVENT LES CHUTES DE L'IGUAÇU ?

Situées sur le fleuve Paraná, entre le Brésil, le Paraguay et l'Argentine, les chutes de l'Iguaçu sont les plus spectaculaires du monde : 72 mètres de haut, 5 km de large…

LA rivière de l'Iguaçu est un affluent du fleuve Paraná. Né au cœur du Brésil, le Paraná décrit une immense boucle avant de se jeter dans l'Atlantique. Son estuaire se nomme Rio de la Plata, la "rivière d'argent".

Au passage, le Paraná a reçu le Paraguay, qui draine l'immense marécage du Pantanal, grand comme huit fois la Belgique, un véritable paradis pour six cents espèces d'oiseaux et bien d'autres animaux aquatiques. Cette rivière, plus longue que bien des fleuves, donne également son nom à un petit Etat tropical, archaïque et isolé. Les Indiens Guaranis, jadis protégés par les jésuites dans leurs missions, forment encore l'essentiel de la population. Sans ressources, sauf l'élevage bovin sur les plateaux déserts du Gran Chaco, privé d'accès à la mer et ruiné par des dictateurs successifs, le Paraguay est le pays le plus pauvre d'Amérique latine.

De l'autre côté du Brésil, au Venezuela, se trouve le Salto Angel, une cascade de 978 mètres. C'est la plus haute du monde ! Elle ne porte pas ce nom par allusion au "saut de l'ange" des acrobates, mais bien en souvenir du chercheur d'or américain Jimmy Angel, qui la découvrit en 1935, dans une région aujourd'hui encore très sauvage. Le Salto Angel se situe sur le cours du Caroní, un affluent de l'Orénoque qui, bien que petit frère vénézuélien du fleuve Amazone, est long de 3 000 km tout de même !

QUE SIGNIFIE LE NOM DE VENEZUELA ?

Observant en 1499 les maisons sur pilotis et les pirogues des Indiens de cette région d'Amérique, Vespucci la baptisa "petite Venise".

QUATRE cents ans après la découverte de Christophe Colomb, le Venezuela, pays misérable, méritait enfin, par la découverte d'une immense nappe de pétrole, son nom emprunté à la plus opulente cité d'Italie. Car cet Etat, riche en ressources (le bassin de l'Orénoque abonde en gisements miniers) mais incapable d'investir pour les exploiter, fut longtemps l'un des plus pauvres d'Amérique du Sud. Au début du XXᵉ siècle, les flottes d'Europe allèrent même jusqu'à bloquer les ports vénézuéliens pour réclamer le remboursement de leurs prêts!

La mise en valeur de l'immense champ pétrolifère situé sous la lagune de Maracaibo changea du jour au lendemain la destinée du pays. Celui-ci devint bientôt le plus riche de la région. Mais ce n'est qu'après 1958 que ce prodigieux **pactole**, d'abord accaparé par une poignée d'hommes d'affaires protégés par des dictateurs successifs, profita un peu à la population.

Depuis lors, le Venezuela est devenu une démocratie, malgré le poids toujours énorme de la dette nationale qui occasionne, de temps à autre, des protestations voire la révolte (comme en 1989) d'une population restée pauvre. Loin du luxe et des immenses espaces verts de la capitale Caracas, le paysan vénézuélien n'est guère mieux loti que son voisin brésilien ou colombien.

QUELLE EST LA PLUS GRANDE VILLE DES AMÉRIQUES ?

Plus grande que les villes de New York ou de Los Angeles, voici Mexico, la "mégapole", aux 20 millions d'habitants, ou presque !

MEXICO ne ressemble plus guère à ce qu'elle était du temps des Aztèques. La capitale époustoufla les conquistadors avec ses canaux en guise de rues et ses cinq lacs, où se reflétaient temples et palais. Toujours impressionnante aujourd'hui, c'est une ville moderne à l'américaine, ceinturée, comme beaucoup de ses consœurs, d'immenses quartiers souvent misérables et de zones industrielles à la pollution terrifiante.

Par sa position centrale sur le haut plateau mexicain, où vit la majorité de la population, Mexico est restée le cœur du pays. Ni la silhouette menaçante des volcans Popocatépetl et d'Orizaba (5 700 m) ni les séismes qui dévastent parfois, comme en 1985, les immeubles bâtis à la hâte pour loger une population chaque jour plus nombreuse ne découragent les habitants des campagnes, métis ou Indiens, de venir y tenter leur chance.

Quasi désertique à l'ouest et dans le nord, le Mexique est un pays au sous-sol riche en minerais et en pétrole. Ayant acquis son indépendance en 1821, aux dépens de l'Espagne, il dut affronter les puissances occidentales et surtout la France au milieu du XIXe siècle : ce fut la guerre du Mexique, qui se termina par l'exécution de l'empereur **Maximilien**. Puis vint le temps des révolutionnaires Pancho Villa et Zapata. Quant aux Etats-Unis, ils ont toujours cherché à placer sous leur influence économique ce "cousin" du sud, avec lequel ils viennent de signer un accord de libre-échange : l'**Alena**.

OÙ VIVAIENT LES CARAÏBES ?

Les Caraïbes, premiers Indiens à accueillir Christophe Colomb en Amérique, ont disparu des Antilles en moins de 200 ans, décimés par les maladies et le travail forcé.

DES Indiens Caraïbes disparus, seul subsiste le nom, attribué à la mer qui baigne les îles où ils vivaient jadis. Les habitants actuels des Antilles sont, eux, les descendants des colons européens et des esclaves africains qui travaillaient dans les immenses plantations de canne à sucre, de tabac et de fruits tropicaux.

Si certaines îles des Antilles nommées aussi îles du Vent sont toujours des départements français (comme la Guadeloupe et la Martinique), les trois Grandes Antilles ont fini par acquérir leur indépendance. Sans beaucoup de richesses, elles connaissent des sorts aussi différents que possible. En effet, Cuba, enclave communiste, est depuis longtemps dirigée d'une main de fer par **Fidel Castro**, tandis qu'en Haïti, l'armée a succédé aux Duvalier père et fils, tyrans sanguinaires dont les sinistres hommes de mains, les tontons macoutes, terrorisaient la population.

Ni la misère, ni les ouragans tropicaux ou les terribles éruptions volcaniques ne semblent pouvoir ôter aux habitants de ces îles ensoleillées leur goût de la fête et des costumes bariolés, leur parler chantant et leurs musiques chaleureuses. Aussi les Antilles attirent-elles, surtout en hiver, nombre de touristes venus des Etats-Unis et d'Europe.

28

QUI ÉTAIENT LES FLIBUSTIERS ?

Sur la route des galions espagnols qui ramenaient l'or du Nouveau Monde, la mer des Caraïbes devint un paradis de pirates. C'étaient les flibustiers…

L EUR nom vient du vieux néerlandais et signifie : pillards sans loi. On les appela aussi boucaniers, parce qu'ils avaient adopté l'usage indigène de fumer sur un gril nommé boucan la viande des bœufs qu'ils chassaient dans les île. Aventuriers des mers, les **flibustiers** fondèrent, notamment sur l'île de la Tortue, proche de Haïti, de véritables républiques de brigands dont le pavillon à tête de mort semait la terreur parmi les capitaines espagnols.

Les plus célèbres furent Henry Morgan, Barbenoire, le capitaine Kidd et Nicolas Laffite. Ce dernier défendit en 1812 la colonie française de Louisiane contre les Anglais. Car les royaumes européens firent parfois alliance avec ces francs-tireurs de la mer tel le célèbre Surcouf. Devenus alors des **corsaires**, ils étaient autorisés, par document officiel, à piller les vaisseaux ennemis !

Les navires qui traversent aujourd'hui ces eaux pour gagner le canal de Panamá ne craignent plus les pirates, mais plutôt les ouragans et les hauts-fonds. Ceux-ci ont provoqué tant de naufrages et de mystérieuses disparitions que la légende du "triangle des Bermudes" en est née. Elle n'empêche cependant pas la mer des Caraïbes d'attirer toujours plus les paquebots de luxe avec leurs milliers de touristes, les pêcheurs sportifs ainsi que les plongeurs à la recherche de trésors engloutis...

29

QUE SONT DEVENUS LES NOIRS EN AMÉRIQUE LATINE ?

De la coexistence paisible avec les Blancs, au Brésil, aux terribles affrontements qui ont marqué l'histoire d'Haïti, le sort de millions de Noirs latino-américains a été très différent.

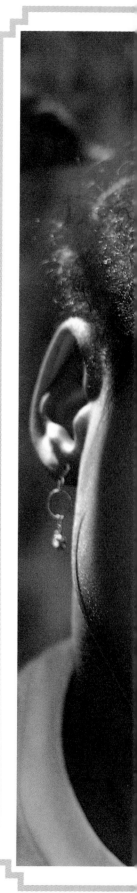

À SAINT-DOMINGUE comme dans la plupart des Antilles, la population est surtout composée de mulâtres, c'est-à-dire de personnes nées d'unions mixtes entre Blancs et Noirs. Mais en Haïti, dans la partie occidentale de l'île, on rencontre essentiellement des Noirs, descendants des esclaves africains "importés" qu'une poignée de planteurs français utilisèrent dans les plantations de canne à sucre.

Tandis que sur d'autres îles les **"nègres marrons"** se contentaient de fuir les plantations pour se réfugier dans les montagnes de l'intérieur, ceux d'Haïti, avec à leur tête le célèbre **Toussaint Louverture**, menèrent une véritable guerre contre les troupes envoyées par Napoléon. Bien que vaincus, ces rebelles deviendront les ancêtres de l'État actuel d'Haïti.

Mais l'héritage des esclaves noirs ne se résume pas à de sanglantes pages d'histoire. C'est surtout par la vivacité de leur culture que les Africains ont marqué l'Amérique latine jusqu'à nos jours, avec des rites religieux comme le **vaudou** en Haïti, la macumba et le candomblé au Brésil, ou des traditions sociales, tel le "mouvement rasta" en Jamaïque. Sans compter la musique et la danse, aux innombrables formes d'expression.

D'OÙ VIENT LE REGGAE ?

C'est à la Jamaïque qu'est née cette musique rythmée, que le chanteur Bob Marley rendit mondialement célèbre dans les années 70, en l'adaptant au rock.

Toute l'Amérique latine, depuis longtemps, alimente la planète en rythmes syncopés et en danses chaloupées. La plupart sont nés du croisement des airs populaires européens, apportés par les colons, avec la musique des Indiens et les rythmes traditionnels des esclaves africains. Dès le début du siècle, le paso doble et le tango, nés à Buenos Aires, ont côtoyé la polka dans les salons d'Europe.

Mais c'est surtout après la Deuxième Guerre mondiale que l'on allait découvrir, grâce souvent à des musiciens émigrés aux Etats-Unis, les danses endiablées de Cuba (la rumba et la salsa) ou celles, plus langoureuses, du Brésil (bossa-nova, samba).

De la biguine antillaise à la lambada d'origine bolivienne, nombre de musiques "latines" sont aujourd'hui jouées aux quatre coins du monde. Mais la variété de la musique sud américaine, des steel-drums de Trinidad jouée sur des barils de pétrole, à celle des **mariachis**, réserve encore bien des possibilités aux futurs danseurs. Sans oublier les airs nostalgiques de la flûte des Andes ou encore les rythmes du berimbau, l'arc musical des Amazoniens...

A

ALENA : Accord de libre-échange nord-américain.

AMAZONE : fleuve d'Amérique du Sud. Prend sa source au Pérou et se jette dans l'Atlantique. Le premier du monde par la superficie de son bassin, et le second, après le Nil, pour sa longueur (6 400 km). Si, comme la plupart des géographes, on considère l'Apurímac comme sa branche mère, sa longueur serait dans ce cas de 7 025 km.

AMPHIBIE : capable de vivre à l'air ou dans l'eau.

AZTÈQUES : Indiens venus du nord, les Aztèques pénètrent dans l'actuelle vallée de Mexico au XIIIe siècle et fondent leur ville principale, Tenochtitlán (future Mexico) en 1325. Au début du XVe siècle, l'Empire aztèque s'étend sur tout le Mexique central, mais face aux conquistadors espagnols, l'empereur Moctezuma ne sut pas s'opposer. L'Empire fut démantelé vers 1525 et le dernier empereur Cuauhtémoc pendu.

B

BANDEIRANTES : aventuriers portugais arrivés au Brésil à la recherche d'or et d'esclaves.

BAPTISTES : adeptes de la doctrine selon laquelle le baptême doit être administré à des personnes en âge de raison, et par immersion complète.

C

CACIQUE : chef indigène de certaines tributs d'Amérique.

CAÏMAN (MOT CARAÏBE) : reptile crocodilien d'Amérique centrale et méridionale (de 5 à 6 mètres de long).

CANDOMBLÉ : rite d'origine africaine pratiqué dans l'Etat de Bahia. L'ordination des prêtres s'effectue par le cérémonial du rasage de la tête, de bains rituels et de l'application de plumes, de sang de poule ou de chèvre sur le front. La cérémonie est accompagnée par le battement sourd des tambours, des chants africains et des danses frénétiques qui ont pour but de mettre les initiés en transe.

CAOUTCHOUC : mot d'origine péruvienne. Substance élastique, imperméable provenant du latex de divers arbres tropicaux (ficus, hévéa...) ou élaborée artificiellement.

CHAMANE : prêtre magicien, qui pratique la divination et les soins médicaux, en relation avec les esprits de la nature avec lesquels il entre en contact au travers d'un voyage mystique, par la transe et l'extase.

CORSAIRES : capitaines ou marins qui recevaient du roi une "lettre de marque", ou "commission", qui les autorisait à attaquer les navires marchands ennemis et à s'en emparer.

D

DÉFORESTATION : destruction des forêts.

E

ESCADRONS DE LA MORT : groupes de policiers qui pratiquent, dans la plupart des grandes villes brésiliennes, la liquidation sommaire et sans jugement de personnes "tombées en disgrâce aux yeux de la police". Les victimes appartiennent presque toujours aux couches les plus défavorisées de la population : les habitants des favelas. Un grand nombre de ces exécutés sont des jeunes de moins de vingt ans, presque tous noirs ou mulâtres.

F

FAVELAS : ensemble d'habitations dépourvues de confort et situées dans les quartiers populaires des grandes villes. Bidonville.

FAZENDA : grande propriété, au Brésil.

FIDEL CASTRO (SANTIAGO DE CUBA - 1927) : révolutionnaire et homme d'Etat cubain. En 1956, il débarque à Cuba avec des partisans, organise la guérilla contre le dictateur Batista et prend le pouvoir après la chute de ce dernier en 1959.

FITZCARRALDO : nom donné à Brian Fitzgerald, baron du caoutchouc, dont la superbe folie a été mise en scène dans un film de Werner Herzog.

FLIBUSTIERS : pirates qui, aux XVIIe et XVIIIe siècles, écumaient les côtes des Antilles et dévastaient les possessions espagnoles.

J

JÉSUITES : au XVIIe siècle, les jésuites construisent des missions autour desquelles s'organisent les villages indiens. Leur objectif était de protéger les tribus guaranis des marchands d'esclaves. Les jésuites contrôlèrent ainsi la région pendant plus d'un siècle, supervisant la construction de cités indiennes qui atteignaient parfois cinq mille habitants. En 1756, les missions furent attaquées et vaincues par les esclavagistes, les jésuites expulsés, et les Indiens en grande partie exterminés.

JUNTE : assemblée administrative, politique ou militaire en Espagne, au Portugal ou en Amérique latine. Nom donné à certains gouvernements issus d'un coup d'Etat militaire.

M

MANIOC : arbrisseau des régions tropicales dont la racine fournit une fécule alimentaire : le tapioca.

MARIACHIS : au Mexique, nom donné à des musiciens ambulants vêtus de costumes de fantaisie, qui jouent en groupes lors des mariages, des festivités.

MAXIMILIEN (1832 - 1867) : frère de l'empereur François-Joseph, archiduc d'Autriche, marié en 1857 à la princesse Charlotte de Belgique. En 1863, Napoléon III lui offre la couronne impériale du Mexique. Capturé par Benito Juárez, il est fusillé en 1867, ce qui entraîne sa femme dans la folie.

MAYAS : peuple indien d'Amérique centrale dont la brillante civilisation s'étendit sur presque tout le territoire actuel du Guatemala, du Honduras et du Mexique méridional. Guerrière et commerçante, la société maya était fortement hiérarchisée. Elle était dominée par une aristocratie qui commandait à des esclaves et des prisonniers qui assumaient les plus lourdes tâches. On ne compte aujourd'hui que 330 000 Mayas dispersés au Guatemala et au Mexique.

MÉGAPOLE (OU MÉGALOPOLE) : agglomération urbaine très importante.

MINAS GERAIS : Etat du Brésil. Un peu plus grand que la France, il est peuplé de quinze millions d'habitants. Minas Gerais signifie "mines générales". Les filons, apparemment inépuisables, ont approvisionné le monde entier en or, en diamant et en minerai de fer.

MORMONS : adeptes d'une secte d'origine américaine qui admet les principes essentiels du christianisme et présente des analogies avec l'islam.

N

NÈGRE MARRON : dans l'Amérique coloniale, se disait d'un esclave fugitif.

NIEMEYER (OSCAR SOARES) : architecte né en 1907 à Rio de Janeiro. Après de nombreuses réalisations, il fut chargé par le président Kubitschek de réaliser les bâtiments officiels de la nouvelle capitale Brasília.

O

OLMÈQUES : ancien peuple du Mexique vers 2000 à 200 av. J.-C. Le rayonnement des Olmèques s'est retrouvé chez tous les peuples du Mexique. On attribue aux Olmèques l'invention du calendrier méso-américain, perfectionné par les Mayas.

ORELLANA (FRANCISCO DE) (1511 - 1546). Explorateur espagnol du XVIᵉ siècle. Compagnon de Pizarro lors de la conquête du Pérou, il explora les régions à l'est de la Cordillère des Andes, puis atteignit l'Amazone dont il descendit le cours jusqu'à l'Atlantique.

P

PACTOLE : nom d'une rivière de Lydie (Asie Mineure) qui roulait des paillettes d'or. Par extension, source de richesse, de profit.

PANCHO VILLA (1878 - 1923) : général révolutionnaire mexicain. Bandit au grand cœur, perpétuel révolté, passant d'un parti à l'autre, il finit par se soumettre au gouvernement légal en 1920 et mourut assassiné trois ans plus tard.

PELÉ (EDSON ARANTÈS DO NASCIMENTO) : dit le roi Pelé. Footballeur brésilien. Révélé lors de la Coupe du monde de 1958 remportée par le Brésil, Pelé s'imposa comme le meilleur joueur du monde. Buteur remarquable, ce fut aussi un excellent meneur de jeu.

PERÓN (JUAN DOMINGO) (1895 - 1974) : homme politique argentin. Il fut élu président de la République en 1946 et établit le "justicialisme" qui trouva l'appui du clergé, de l'armée, des partis de gauche et des nationalistes d'extrême droite. Cette doctrine, très populaire au départ et qui tournera en dictature dès 1950, conciliait mesures sociales, politique antiaméricaine, catholicisme, répression et nationalisation. Il fut renversé par un putsch en 1955 et se réfugia en Espagne.

PNEUMATIQUE (OU PNEU) : imaginé en 1845 par l'Ecossais Robert William Thomson, le pneu n'a véritablement connu un essor qu'avec John Boyd Dunlop en 1888 et les frères Michelin en 1891.

S

SAMBA : danse populaire brésilienne d'origine africaine, à deux temps, de rythme syncopé.

SANGSUE : ver qui se fixe à la peau par ses ventouses et suce le sang après avoir pratiqué une incision, grâce à 3 mâchoires entourant sa bouche.

SELVA : signifie "forêt" en espagnol.

T

TAPIR : mammifère ongulé, herbivore, d'assez grande taille (jusqu'à 2 m), bas sur pattes, dont le nez se prolonge en une courte trompe.

TOLTÈQUES : peuple indien qui s'installa entre 950 et 1500 au nord de l'actuelle Mexico. Au Xᵉ siècle, le roi des Toltèques fut vaincu par des prêtres au service du dieu sanguinaire Tezcatlipoca. Ceux-ci constituèrent l'Empire toltèque qui domina tout le Mexique central de l'Atlantique au Pacifique. Ils développèrent une civilisation qui influença les Mayas.

TOUCAN : oiseau grimpeur, au plumage éclatant, à bec énorme, qui vit dans les forêts tropicales de l'Amérique du Sud.

TOUSSAINT LOUVERTURE (1743 - 1803) : ancien esclave devenu homme politique haïtien. Il appelle les Noirs à soutenir le gouvernement français qui vient d'abolir l'esclavage (1794). Il proclame son intention de créer une république noire et défend l'île contre les Anglais et les Espagnols. Après une héroïque défense, il doit capituler devant l'expédition de reconquête envoyée par Bonaparte (1802). Arrêté, emmené en France et interné au fort de Joux, il y meurt peu avant que soit proclamée l'indépendance d'Haïti.

TRIANGLE DES BERMUDES : dans l'océan Atlantique, entre Porto Rico, les Bermudes et les Bahamas, de nombreuses disparitions d'avions et de navires ont eu lieu. Certains les attribuent à des anomalies magnétiques. Le Gulf Stream, rapide et agité, peut effacer toute trace de naufrage. La variété des fonds marins provoque aussi de violents courants changeants.

V

VAUDOU : culte importé aux Antilles par les esclaves noirs.

Y

YANOMAMIS : Indiens d'Amérique du Sud. Ils occupent des régions frontalières entre le Brésil et le Venezuela et mènent une vie semi-nomade. Ils étaient 22 000, dont 9 000 au Brésil (1987). Après 1987, leurs territoires sont envahis par les chercheurs d'or; ils sont alors victimes de massacres, de maladies blanches, de viols et de déportation.

3000

Début de l'âge du bronze en Anatolie
(Turquie)

Culture de Valdivia en Equateur :
populations semi-sédentaires

2000

Fondation de la 1ʳᵉ dynastie de Babylone
(1894)

Culture du manioc en Amazonie et
Orénoque

1000

Invention de la monnaie (680)

Civilisation olmèque au Mexique.
Début d'un système de calendrier et
de l'écriture d'Amérique centrale.

0

Conquête de la Bretagne par les Romains

Le plus ancien monument de pierre maya
daté (292) à Tikal

500

Bataille de Poitiers.
Les Arabes repoussés de Gaule (732)

Fin de l'époque maya classique au Mexique
(950).

1000

Voyage de Marco Polo en Chine
(1271 - 1295)

Christophe Colomb débarque à Guanahani
(San Salvador) (1492).

1500

Abdication de Charles Quint (1556)

Conquête du Mexique par Cortez
(1519 - 1526).
Orellana atteint les bouches de l'Amazone
(1542).

1600

Vie de Molière (1622-1673)

Le capitaine Pedro de Texeira remonte
l'Amazone de Belém à Quito (1637 - 1638).

1700

Exécution de Louis XVI (1793)

Publication à Paris de la carte du cours de
l'Amazone par le père Fritz (1717).
Voyage de von Humboldt et Bonpland
depuis l'Orénoque jusqu'au río Negro.

1800

Construction de la locomotive de Stephenson
(1814)

Indépendance du Brésil (1822).
Vie de Pancho Villa (1878 - 1923)

1900

Mort de Mao Tsé-toung (1976)

Fondation de la Funai (1972)

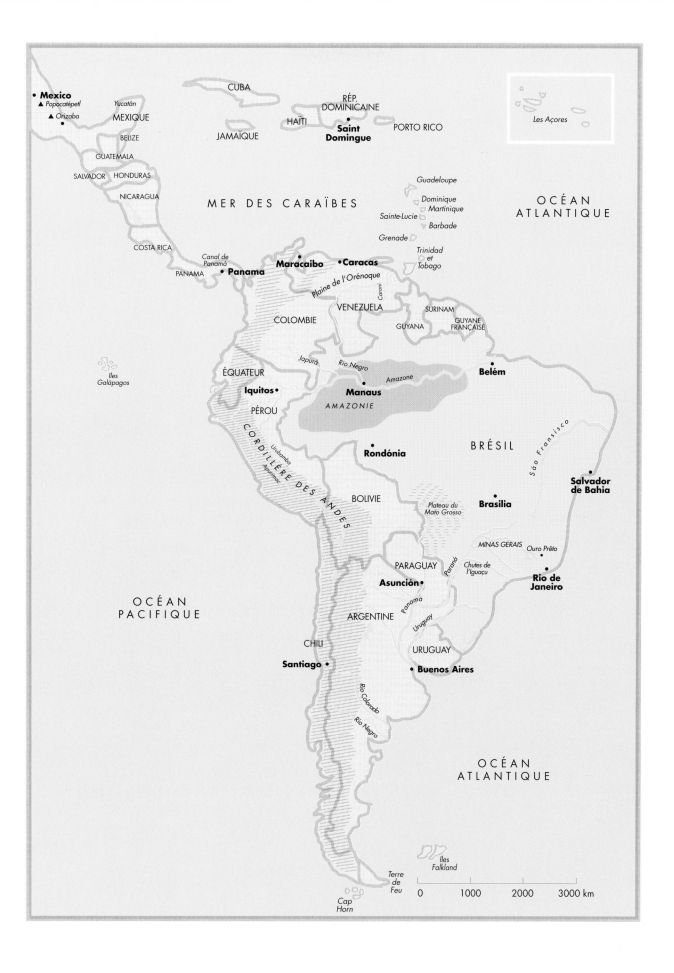

• **Mexico**
▲ Popocatépetl
▲ Orizaba

MEXIQUE

Yucatán

CUBA

RÉP.
DOMINICAINE

HAÏTI

JAMAÏQUE

Saint
Domingue

PORTO RICO

Les Açores

BELIZE

GUATEMALA

SALVADOR   HONDURAS

NICARAGUA

MER DES CARAÏBES

OCÉAN
ATLANTIQUE

Guadeloupe

Dominique
Martinique

Sainte-Lucie
Barbade

Grenade

COSTA RICA

Canal de
Panamá

PANAMA   • **Panama**

• **Maracaibo**

• **Caracas**

Trinidad
et
Tobago

Plaine de l'Orénoque

Caroni

SURINAM

VENEZUELA

GUYANE
FRANÇAISE

COLOMBIE

GUYANA

Japurá

Rio Negro

Iles
Galápagos

ÉQUATEUR

Iquitos •

PÉROU

Amazone

Manaus •

AMAZONIE

• **Belém**

BRÉSIL

São Fransisco

CORDILLÈRE DES ANDES

Urubamba

Apurímac

Rondónia •

BOLIVIE

Plateau du
Mato Grosso

Brasilia •

MINAS GERAIS

Ouro Prêto

Salvador
de Bahia

Paraná

Chutes de
l'Iguaçu

PARAGUAY

Asunción •

Rio de
Janeiro

OCÉAN
PACIFIQUE

Panamá

ARGENTINE

Uruguay

URUGUAY

CHILI

Rio Colorado

Santiago •

• **Buenos Aires**

Rio Negro

OCÉAN
ATLANTIQUE

Iles
Falkland

Terre
de
Feu

0   1000   2000   3000 km

Cap
Horn

index

bibliographie
L'AMAZONIE DE 7 À 77 ANS

L'oreille cassée
Hergé
Ed. Casterman

Brésil, la folie grandeur nature
Luc Giard
Ed. Anako, 1991

La Faune de l'Amérique du Sud
Felix Rodriguez de la Fuente
Ed. Grange-Batelière

Mon cœur s'appelle Amazonie
Anne-Sophie Tiberghien
Ed. Robert Laffont, 1983

Pays d'Amazonie
Jacques Cornet
Ed. Fot, 1987

Sur les chemins du Mexique
Claude Jannel-Frédérique Guerlain
Ed. Barthélemy, 1992

Religions et magies indiennes
Alfred Métraux
Gallimard, 1967

Voyage sur l'Amazone
(Charles Marie de) La Condamine
Maspéro, 1981

Les cercles des feux, faits et dits des Indiens Yanomamis
Jacques Lizot
Le Seuil, 1976

Voyage dans l'Amérique équinoxiale
Alexander von Humboldt
Maspéro, 1980

L'Amazone, un géant blessé
Alain Gheerbrant
Gallimard, 1988

L'Escadron de la mort
Aderito Lopes
Ed. Casterman, 1973

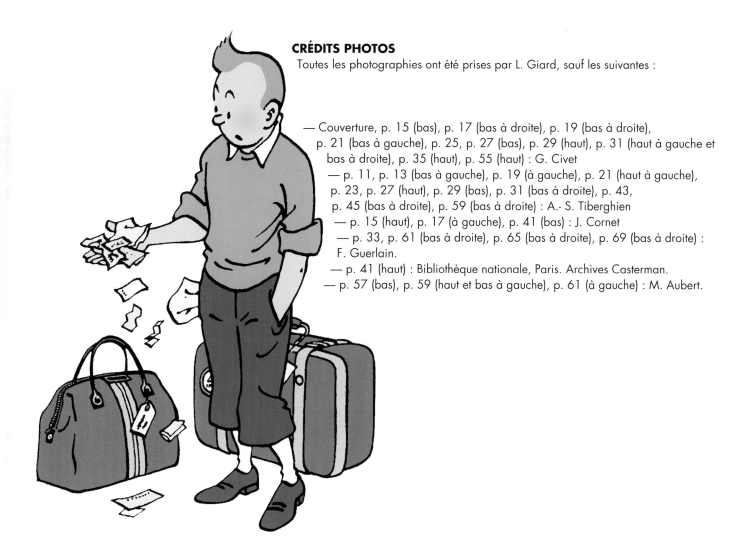

CRÉDITS PHOTOS

Toutes les photographies ont été prises par L. Giard, sauf les suivantes :

— Couverture, p. 15 (bas), p. 17 (bas à droite), p. 19 (bas à droite),
p. 21 (bas à gauche), p. 25, p. 27 (bas), p. 29 (haut), p. 31 (haut à gauche et
   bas à droite), p. 35 (haut), p. 55 (haut) : G. Civet
   — p. 11, p. 13 (bas à gauche), p. 19 (à gauche), p. 21 (haut à gauche),
p. 23, p. 27 (haut), p. 29 (bas), p. 31 (bas à droite), p. 43,
p. 45 (bas à droite), p. 59 (bas à droite) : A.- S. Tiberghien
   — p. 15 (haut), p. 17 (à gauche), p. 41 (bas) : J. Cornet
      — p. 33, p. 61 (bas à droite), p. 65 (bas à droite), p. 69 (bas à droite) :
   F. Guerlain.
   — p. 41 (haut) : Bibliothèque nationale, Paris. Archives Casterman.
   — p. 57 (bas), p. 59 (haut et bas à gauche), p. 61 (à gauche) : M. Aubert.

Imprimé en Belgique par Casterman, S.A., Tournai - Dépôt légal : mars 1994; D 1994/0053/65 - Déposé au Ministère de la Justice, Paris
(loi n° 49.956 du 16 juillet 1949 sur les publications destinées à la jeunesse).

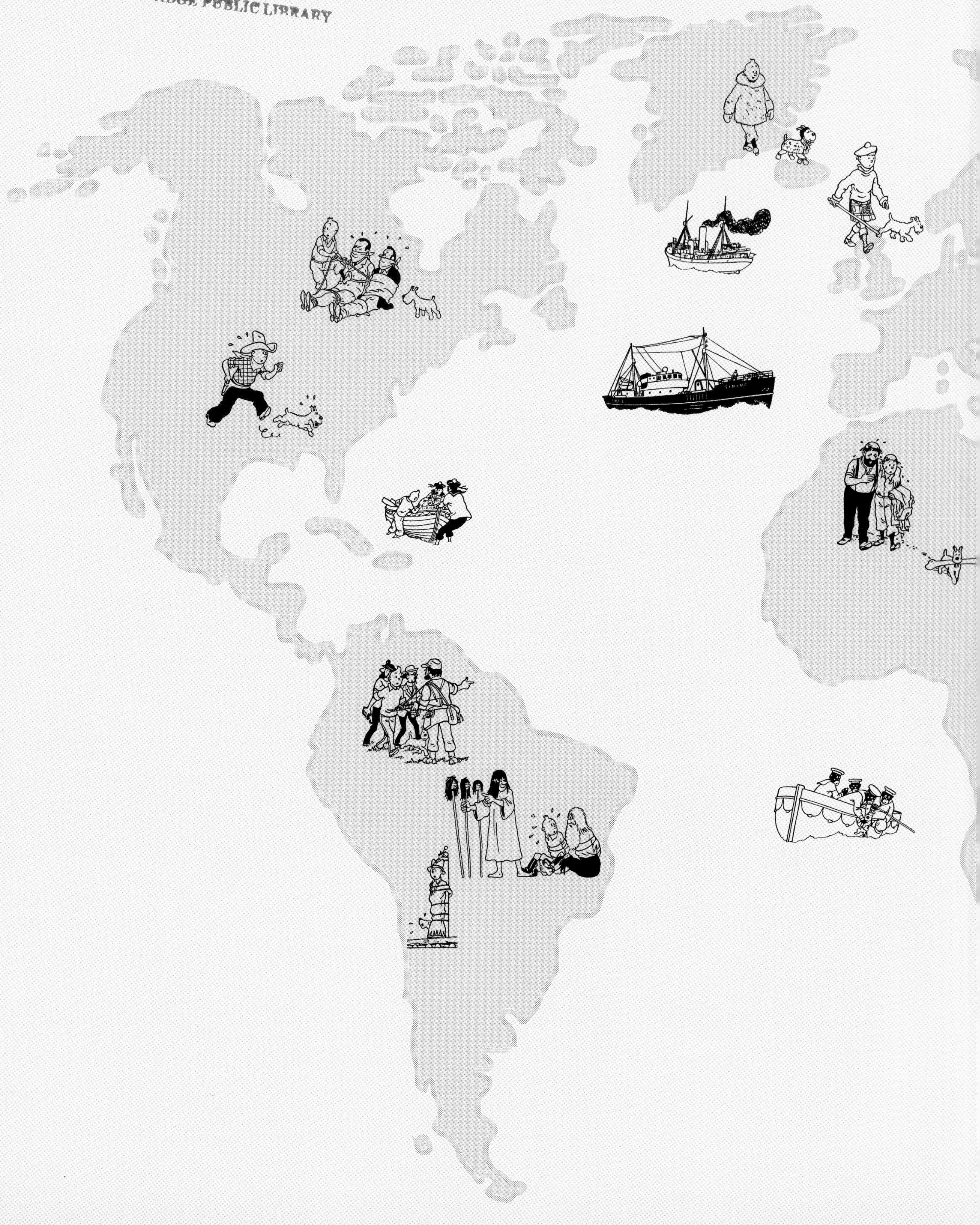